Annette von Droste-Hülshoff
Die Judenbuche

Von Bernd Völkl

Philipp Reclam jun. Stuttgart

Dieser Lektüreschlüssel bezieht sich auf folgende Textausgabe:
Annette von Droste-Hülshoff: *Die Judenbuche*. Stuttgart:
Reclam, 2001 [durchges. Ausg. 2010]. (Universal-Bibliothek.
1858.)

RECLAMS UNIVERSAL-BIBLIOTHEK Nr. 15305
Alle Rechte vorbehalten
© 2001 Philipp Reclam jun. GmbH & Co. KG, Stuttgart
Durchgesehene Ausgabe 2010
Gesamtherstellung: Reclam, Ditzingen
Printed in Germany 2010
RECLAM, UNIVERSAL-BIBLIOTHEK und
RECLAMS UNIVERSAL-BIBLIOTHEK sind eingetragene Marken
der Philipp Reclam jun. GmbH & Co. KG, Stuttgart
ISBN 978-3-15-015305-5

www.reclam.de

Inhalt

1. Erstinformation zum Werk

Die »Droste« wurde wiederholt und unbestritten als die bedeutendste deutschsprachige Dichterin des 19. Jahrhunderts bezeichnet.

Das Lob gilt gleichermaßen ihren realistischen Balladen, ihren beeindruckenden Naturgedichten und ihrer geistlichen Lyrik, die in ihrer Ausdruckskraft sehr vieles von dem übertreffen, was von ihren Zeitgenossen geschrieben wurde, ob man sie nun den Klassik-Nachfolgern, der Romantik oder dem Biedermeier zurechnet. Die Texte aus dem *Geistlichen Jahr* zeigen, wie sehr Annette von Droste-Hülshoff im christlichen Glauben verankert ist. Trotz ihrer inneren Kämpfe bleibt sie zeitlebens eine überzeugte katholische Christin, die auch ihre Kirche bewusst bejahte.

Obwohl die Droste in erster Linie Lyrikerin war, ist ihr Name für viele mit einer epischen Dichtung, der *Judenbuche*, verbunden. Dieses Werk beruht auf einer wahren Begebenheit, die Annette von Droste-Hülshoff seit ihrer Kindheit vertraut war. Die novellenhafte Erzählung *Die Judenbuche* wurde auf lange Sicht zu einem großen Erfolg. Der Nachruhm der Dichterin beruht vor allem auf dieser Geschichte. Dass ihr Portrait in Deutschland jahrelang den 20-Mark-Schein zieren durfte, verdankt sie nicht ihren Gedichten und anderen Werken, sondern vor allem der *Judenbuche*, wie die Rückseite des Geldscheins auch deutlich macht.

Die Bedeutung der Dichterin kann man u.a. daran ablesen, dass es eine recht aktive Droste-Gesellschaft gibt, die in unregelmäßigen Abständen ein Jahrbuch herausgibt. Annette von Droste-Hülshoff ist auch über die deutschen

Sprachgrenzen hinaus bekannt. Im Jahrbuch 1991–1996 kann Zhang Yushu in einem Beitrag mit dem Titel »Annette von Droste-Hülshoff nun in China« berichten, dass ein Band mit ins Chinesische übersetzten Gedichten der Droste veröffentlicht worden ist.

2. Inhalt

Die Novelle spielt in dem abseits gelegenen, aber waldreichen westfälischen Dorf B., wo Holz- und Jagdfrevel nur als Kavaliersdelikt gelten. Dadurch entsteht eine Verwirrung des Rechtsgefühls, weil das Gewohnheitsrecht sowie die öffentliche Meinung einerseits und das offizielle Recht andererseits einander entgegenstehen.

Ort der Handlung

In diesem Dorf B. wird 1738 Friedrich Mergel als einziger Sohn eines Halbmeiers geboren. Sein Vater hatte zuvor nach einer missglückten ersten Ehe die frühere Dorfschönheit Margreth geheiratet. Diese Verbindung kann seinen Abstieg zum verkommenen Säufer nur kurzzeitig aufhalten. Mergels sozialer Niedergang hat zur Folge, dass auch Margreth immer mehr herunterkommt und der Hof zusehends verfällt. Friedrich wächst deshalb in Armut und als Außenseiter auf, was sich noch verstärkt, als sein Vater im Brederholz tot aufgefunden wird und im Bewusstsein des Dorfes zu einer Spukgestalt wird.

Kindheit Friedrich Mergels

Als Friedrich zwölf Jahre alt ist, kommt Margreths jüngerer Bruder Simon Semmler zu Besuch, um sich des Jungen anzunehmen und ihm Arbeit zu geben. Die Art, wie er von der Dichterin beschrieben wird, weckt unheimliche, fast diabolische Assoziationen. Simons Motive sind auch alles andere als uneigennützig. Die Dichterin lässt durchblicken, dass Semmler der Chef der »Blaukittel«, einer berüchtigten Bande von Holzdieben, ist. Als Hirtenjunge eignet Friedrich sich hervorragend zum Kundschafter für

Einfluss des Onkels Simon Semmler

die Raubzüge der Bande. Der Kontakt zum Onkel verändert sein Leben. Er wird zu Semmlers rechter Hand, hat von nun an Geld und entwickelt sich zum Dorfelegant. Bald steht Friedrich sogar an der Spitze des jungen Volkes im Dorfe. Sein ständiger Begleiter wird Johannes Niemand, der für Simon als Schweinehirt arbeitet und wahrscheinlich sein unehelicher Sohn ist. Die große Ähnlichkeit zu Friedrich erschüttert Margreth. Sie ist davon überzeugt, dass Simon die Vaterschaft durch einen Meineid abgestritten hat.

Bei einem ihrer vielen Versuche, die »Blaukittel« zu ergreifen, stoßen die Förster auf Friedrich Mergel, der seine Tiere hütet. Als Friedrich die Gruppe bemerkt, warnt er die Blaukittel durch einen langen, lauten Pfiff, der angeblich seinem Hund gegolten hat. Dies ruft den Zorn des Försters Brandis hervor, der den Grund des Pfiffs ahnt, die anderen Förster vorausschickt und Friedrich dann beleidigt und in seiner Ehre verletzt. Aus Ärger darüber schickt dieser ihn bewusst auf den falschen Weg und damit in die Hände der Blaukittel. Ihm ist wohl klar, dass er den Förster damit dem Tod ausliefert. Dennoch nimmt ihn der Mord an Brandis persönlich stark mit. Bei der bald folgenden Gerichtsverhandlung tritt Friedrich aber wieder sicher auf. Er gibt nur zu, was ohnehin bereits bekannt ist. Über die Herkunft einer Axt weiß er angeblich nichts, obwohl ihm ein ausgebrochener Splitter endgültig klar macht, dass sein Onkel der Mörder sein muss. Am nächsten Sonntag will Friedrich zur Beichte gehen, weil er unter seiner schweren Schuld leidet. Er lässt sich aber von Simon wieder davon abbringen.

Der Mord bleibt unaufgeklärt, die Holzfrevler lassen sich seitdem nicht wieder blicken.

> *Mord am Förster Brandis*

Vier Jahre später findet eine Dorfhochzeit statt. Friedrich tritt dabei recht bestimmend und großspurig auf. Er will seine Führungsrolle in der Dorfjugend unterstreichen. Als sein ständiger Begleiter Johannes Niemand als Butterdieb entlarvt wird, fühlt sich Friedrich in seiner Würde verletzt und protzt mit seiner silbernen Uhr. Kurz darauf wird er aber von dem Juden Aaron öffentlich gemahnt, die 10 Taler für diese Uhr endlich zu bezahlen. Friedrich fühlt sich auch noch durch das öffentliche Gelächter gedemütigt und verlässt im Innersten getroffen die Hochzeit.

> *Dorfhochzeit als Wendepunkt*

Wenige Tage später wird der Jude Aaron im Wald ermordet aufgefunden. Friedrich gerät schnell in Verdacht, doch als er verhaftet werden soll, ist er schon geflohen und kann nicht gefunden werden. Mit Friedrich ist auch sein Freund Johannes Niemand verschwunden. Die Juden der Gegend kaufen bald darauf die Buche, unter der der Mord geschehen ist, und versehen sie mit einer Inschrift in hebräischer Sprache, deren Übersetzung erst am Ende des Buches mitgeteilt wird: »Wenn du dich diesem Orte nahest, so wird es dir ergehen, wie du mir getan hast.« Etwa ein halbes Jahr danach sagt im Gefängnis ein Mitglied einer Bande aus, er bereue von seinen Untaten vor allem einen Mord an einem jüdischen Glaubensgenossen namens Aaron, den er im Walde erschlagen habe. Seitdem gilt es im Ort als zweifelhaft, ob Friedrich den Juden wirklich umgebracht hat.

> *Mord am Juden Aaron und Friedrichs Flucht*

Nach 28 Jahren kehrt Johannes Niemand als abgearbeiteter und gebrechlicher Greis aus türkischer Sklaverei in das Heimatdorf zurück. Die Gutsherrschaft nimmt sich seiner an und sorgt für eine Unterkunft und für

> *Rückkehr Friedrichs nach 28 Jahren*

seinen Lebensunterhalt. Der Heimgekehrte erfährt, dass Simon völlig verarmt und Margreth in geistiger Dumpfheit schon vor langer Zeit gestorben sind. Er reagiert überrascht, als ihm gesagt wird, dass Friedrich den Mord am Juden Aaron gar nicht begangen habe und ihre gemeinsame Flucht eigentlich unnötig gewesen sei. Er selbst erzählt von seiner und Friedrichs Flucht und von ihren Erlebnissen. Die beiden hatten sich, als sie in Sicherheit waren, von den Österreichern anwerben lassen, die sie im Türkenkrieg einsetzen wollten. Der Heimgekehrte ist dann bei seinem ersten Kriegseinsatz gefangen genommen worden und musste 24 Jahre lang ein hartes Leben als Arbeitssklave führen, bis er unter schwierigsten Umständen wieder nach Europa zurückkehren konnte. Johannes Niemand übernimmt nun für den Grundherrn kleine Aufträge, kommt aber eines Tages von einem Botengang nicht zurück. Es wird erfolglos nach ihm gesucht, erst nach 14 Tagen wird er in den Ästen der Judenbuche erhängt aufgefunden. Als man ihm die Halsbinde löst, erkennt ihn der Gutsherr an einer Narbe als Friedrich Mergel. Durch die Enthüllung des Inhalts der Schrift an dem Baum wird nun klar, dass Friedrich Mergel doch der Mörder Aarons war und dass er, an den Ort der Tat zurückgekehrt, die gerechte Strafe für sein Tun gefunden hat.

Selbstmord als Sühne

3. Personen

Alle Personen der Erzählung sind in irgendeiner Form Teil
der Dorfgemeinschaft. Die besondere Lage des Dorfes be-
stimmt das Denken und Verhalten der Bewohner.

Das Dorf B. und seine Einwohner

Situation des Dorfes	Verhalten der Menschen
• isolierte Lage (kein Handel, keine Heerstraßen)	→ Originalität und Beschränktheit der starrsinnigen Einwohner
• unzulängliche Gesetze	→ Verwirrung des Rechtsgefühls
• Wald ist der Hauptreichtum der idyllischen Gegend	→ Holz- und Jagdfrevel
• zahlreiche Förster	→ Gewalt und List auf beiden Seiten
• Nähe zum Fluss	→ Kühnheit der Holzfällerbanden wird gefördert
• Herausbildung eines »zweiten« Rechts (der Gewohnheit und der öffentlichen Meinung)	→ Letzte Instanz sind das Gewissen und die Verantwortung des Einzelnen

Vor dem Hintergrund dieses Wertesystems, dieser Verhaltensregeln, der besonderen örtlichen Gegebenheiten und Gruppenidentität sind auch die Figuren zu verstehen, die in der Geschichte eine wichtige Rolle spielen.

Hermann Mergel. Seine erste Frau hat es mit ihm nicht ausgehalten und läuft ihm schon kurz nach der Hochzeit davon. Über diesen öffentlichen Skandal versucht Mergel mit Alkohol hinwegzukommen. Er ist in dieser Zeit nach Meinung des Dorfes noch ein ordentlicher Säufer, der sich nur an Sonn- und Feiertagen hemmungslos betrinkt, verkommt aber dann immer mehr. Seine Heirat mit der früheren Dorfschönheit Margreth Semmler kann diesen sozialen Abstieg nur kurzzeitig aufhalten. Sein Tod im Brederholz lässt ihn im Gedächtnis des Dorfes als Spukerscheinung weiterleben.

Vom ordentlichen Säufer zur Spukgestalt

Margreth Semmler. Zur Überraschung für die anderen heiratet die frühere Dorfschönheit Hermann Mergel. Sie hat inzwischen das Alter von vierzig Jahren überschritten, ist nicht unvermögend und gilt im Dorf als klug. Nach kurzer Zeit wird klar, dass sie ihren Einfluss auf Hermann Mergel überschätzt hat. Sie kann den Niedergang Mergels nicht aufhalten und muss sogar erleben, dass er im Suff ihr gegenüber gewalttätig wird. Dies hat schließlich zur Folge, dass auch sie und ihre Wirtschaft immer mehr verkommen.

Niedergang der Dorfschönheit

Simon Semmler. Im Leben Friedrichs spielt Simon Semmler die Rolle des Versuchers, der ihn auf falsche Wege führt. Die Droste charakterisiert ihn als unheimlich und verbre-

cherisch. Dies wird deutlich an seiner Beschreibung als
»Hecht« »mit vor dem Kopf liegenden Fisch-
augen« (12). Die äußere Erscheinung gibt
ihm sogar etwas Teuflisches, zu erkennen ist
dies an der Beschreibung »während ihm die
Schöße des roten Rocks wie Feuerflammen
nachzogen« (14). Simon Semmler verkörpert wirklich das
radikal Böse, denn er hat wohl durch einen Meineid abgestritten, der Vater von Johannes Niemand zu sein. Außerdem ist er der Chef der Bande der Blaukittel, und auch die
Ermordung des Försters Brandis ist ihm anzulasten.

> *Das personifi-
> zierte Böse
> als Verführer*

Johannes Niemand. Die Familienähnlichkeit weist darauf
hin, dass Simon Semmler der Vater von Johannes ist. Doch
während sich Friedrich nach dem Pakt mit Simon zu einer
anerkannten und gefürchteten Persönlichkeit
entwickelt, bleibt sein Doppelgänger Johannes Niemand blass. Johannes existiert neben
Friedrich als der Niemand weiter, der Friedrich zuvor gewesen ist und zu dem Friedrich schließlich
wieder herabsinkt. Bezeichnend ist deshalb, dass Friedrich
bei seiner Rückkehr zuerst für Johannes Niemand gehalten
wird.

> *Friedrich Mergels
> Doppelgänger*

Friedrich Mergel. Friedrich Mergel wächst in schwierigen
familiären und sozialen Verhältnissen auf und
entwickelt sich in der Dorfgemeinschaft zum
Außenseiter. Wesentlichen Anteil daran hat
der Tod seines Vaters im Brederholz. Er wird
zum »Gespenst des Brederholzes« (11), was
Friedrich immer wieder dem Gespött der Spielkameraden
aussetzt.

> *Außenseiter
> in der
> Dorfgemeinschaft*

Als er dann in den Dienst von Simon Semmler tritt, gibt ihm das die Chance, seine Außenseiterrolle zu verlassen. Er entwickelt sich sogar zu einem Führer der Dorfjugend, doch seine neue Position steht auf unsicheren Füßen. Durch die Verbindung mit den kriminellen Machenschaften Simon Semmlers verstrickt er sich in Schuld. So trifft ihn eine erhebliche Mitschuld am Tod des Försters Brandis. Außerdem versucht er seine Umgebung durch Statussymbole wie gute Kleidung oder eine teure Uhr zu beeindrucken, die nicht solide finanziert sind. Als dann der Jude Aaron die Bezahlung der Uhr verlangt, sieht er sich öffentlich gedemütigt und in seinem Ansehen und damit in seiner sozialen Existenz vernichtet. Deshalb bringt er den Juden Aaron um, was ihm endgültig die Möglichkeit nimmt, in der Dorfgemeinschaft einen angemessenen Platz zu finden. Um der Strafverfolgung zu entgehen, muss er fliehen. Doch es treibt ihn nach vielen Jahren an den Ort des Verbrechens zurück, wo er sich erhängt.

Suche nach Anerkennung und Verstrickung in das Böse

Wilm Hülsmeyer. Er wird als Rivale Friedrich Mergels bezeichnet. Für die Handlung spielt er keine besondere Rolle, aber er stellt einen idealen Gegentypus zu Friedrich dar, weil er alle Normen verkörpert und in der Dorfgemeinschaft fest integriert und voll anerkannt ist. Wilm Hülsmeyer ist von Hause aus wohlhabend.

Rivale als positives Gegenbild

Förster Brandis. Als Förster hat er einerseits eine gute soziale Stellung, doch andererseits ist er auch Außenseiter, weil er dem »zweiten Recht« der Dorfgemeinschaft entgegenarbei-

Verhängnisvolle Ehrverletzung

Personenkonstellation

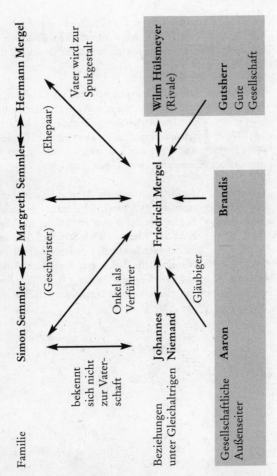

Familie

Simon Semmler ↔ **Margreth Semmler** ↔ **Hermann Mergel**

(Ehepaar)

Vater wird zur Spukgestalt

(Geschwister)

Onkel als Verführer

bekennt sich nicht zur Vaterschaft

Wilm Hülsmeyer (Rivale)

Gutsherr Gute Gesellschaft

Friedrich Mergel

Brandis

Beziehungen unter Gleichaltrigen

Johannes Niemand

Gläubiger

Gesellschaftliche Außenseiter

Aaron

tet. Er weiß genau, wem der Pfiff Friedrichs eigentlich gilt. Von seinem Zorn lässt er sich dazu verleiten, Friedrich zu beleidigen und in seiner Ehre zu verletzen. Dies wird ihm zum Verhängnis.

Jude Aaron. Der Jude Aaron spielt nur eine Nebenrolle und wird deshalb auch nicht mit indivi- duellen Merkmalen gezeichnet. Er ist wahr- scheinlich nicht mehr als ein armer Hausierer und erscheint in der typischen Rolle des Ju- den, der bei seinen Schuldnern Geld eintreibt.

Außenseiter im Dorf als Opfer

Gutsherr. Bei der Untersuchung des Mordes an dem Juden Aaron tritt er erstmals wirklich in Erscheinung. Persönliche Züge bekommt er aber erst bei der Rückkehr Friedrich Mergels. Das Schicksal des ver- meintlichen Johannes erfüllt ihn mit Mitleid, er sorgt dafür, dass er eine Unterkunft findet und mit Nahrung und Kleidung versorgt wird. Am Ende der Novelle identifiziert er den Heimgekehrten als Friedrich Mergel.

Fürsorge aus Mitleid

4. Werkaufbau

1. Der Einfluss des häuslichen Milieus

Hermann Mergel	Wirtschaftliche Lage	Margreth Mergel
Entwicklung vom »ordentlichen« Säufer zum verkommenen Subjekt und schließlich zum »Gespenst des Brederholzes«	Ehemaliger Halbmeierhof, aus eigener Schuld jetzt völlige Armut und Verkommenheit	Früher Dorfschönheit, durch die Ehe heruntergekommen, typische Dorfmoral: fromme Ideale, aber »wildes« Recht gegenüber Juden und Förstern
↓	↓	↓
Starke Gefühlsbindung, aber kein Vorbild, Rückzug aus der Gemeinschaft der Gleichaltrigen	Wegen der schlechten wirtschaftlichen Verhältnisse keine gesellschaftliche Anerkennung	Verworrenes Rechtsgefühl, beeinflusst Friedrichs Haltung gegenüber Förstern und Juden
↓	↓	↓

Milieu bedingt eine schlechte soziale Ausgangssituation

2. Die Bedeutung Simon Semmlers für Friedrich

Simon braucht einen »Spion« für seine Blaukittel
(Friedrich eignet sich wegen seiner geistigen Fähigkeiten,
seiner Arbeit als Hirtenjunge und seiner sozialen Isolation)

Simon adoptiert Friedrich und gibt ihm Arbeit

Wendepunkt in Friedrichs Entwicklung
- Wirtschaftliche Sicherheit
- Befreiung aus der Außenseiterrolle
- Demonstriert Würde und Selbständigkeit

Entwicklung zum Dorfelegant

aber:

Bindung an den moralisch
verkommenen Onkel
(Meineid im Vaterschafts-
prozess, Führer der
»Blaukittel«)

Johannes Niemand
repräsentiert das
alte, verkümmerte
Ich Friedrichs
(Mutter hält ihn
zuerst für ihren Sohn!)

3. Friedrich und der Mord am Förster Brandis

Minderwertigkeitsgefühle
wegen seiner
Außenseiterrolle
in der Kindheit

Starker Geltungsdrang:
versucht die Umwelt
durch Geld und teure
Kleidung zu
beeindrucken

Verletzliches Ehrgefühl aufgrund seiner Ich-Schwäche

Beschimpfung durch den Förster Brandis
- Kann entehrende Kritik nicht vertragen
- Angst um seine soziale Stellung

Friedrich schickt Brandis bewusst auf den falschen Weg
und liefert ihn damit den Blaukitteln und dem Tod aus
- Vergeltung für die Ehrverletzung
- Abwehr der existentiellen Bedrohung

Simon verhindert den Beichtgang Friedrichs

Loslösung von den letzten moralischen Bindungen: Friedrich ist Komplize eines Verbrechens geworden

4. Der Mord am Juden Aaron und Friedrichs Flucht

Dorfhochzeit: Großspuriges Auftreten Friedrichs, um seine Führungsrolle zu unterstreichen

Butterdiebstahl von Johannes Niemand

Silberne Uhr soll sein angekratztes Ansehen wiederherstellen

Jude Aaron entlarvt Friedrich Mergel vor allen Leuten als Schuldner und Hochstapler

Friedrich sieht nach dieser Demütigung seine soziale Existenz als völlig vernichtet an

Mord aus gekränktem Selbstgefühl (Schuldfrage bleibt trotz Friedrichs Flucht aber offen)

5. Friedrichs Heimkehr und Tod

Rückkehr als Johannes Niemand am Weihnachtsabend
nach 28 Jahren

Erzählungen von seinen Erlebnissen in der Sklaverei

Mitleid und		Merkwürdige
Hilfsbereitschaft		Verhaltensweisen
der Einwohner		

Selbstmord als Ausdruck des inneren Zusammenbruchs,
Identifizierung als Friedrich Mergel

6. Die Struktur der *Judenbuche*

Verknüpfung des Geschehens durch Brederholz und
»Dingsymbol« Judenbuche

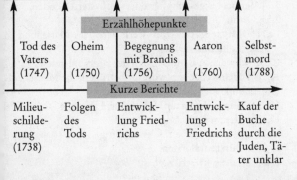

| Tod des Vaters (1747) | Oheim (1750) | Begegnung mit Brandis (1756) | Aaron (1760) | Selbst-mord (1788) |

Erzählhöhepunkte / Kurze Berichte

| Milieu-schilde-rung (1738) | Folgen des Tods | Entwick-lung Fried-richs | Entwick-lung Friedrichs | Kauf der Buche durch die Juden, Tä-ter unklar |

5. Wort- und Sacherläuterungen

3,14 **Halbmeiers:** Bauer, der für seinen Grundherrn be-
stimmte Leistungen erbringen muss. In Bökendorf waren
außer Geldzahlungen noch 10½ Tage Pflugdienst abzu-
leisten.

3,15 **im Dorfe B.:** Bellersen im Fürstbistum Paderborn.

3,19 **Gebirges:** Teutoburger Wald.

3,23 **Ulysses:** anderer Name für Odysseus, der erst nach
zehnjähriger Irrfahrt aus dem Trojanischen Krieg heim-
kehrte.

4,3 f. **niedere Gerichtsbarkeit:** richterliche Befugnis und
Polizeigewalt der Grundherren über ihre Bauern.

4,23 **Holz- und Jagdfrevel:** Missachtung der Ansprüche
der Gutsherrn auf die alleinige wirtschaftliche Nutzung
von Wald und Wild.

5,7 **Scharmützeln:** kleinere Gefechte.

5,33 **Triften:** Weiden, Wiesen.

7,1 **wirtlich:** sparsam.

9,24 **Tenne:** festgestampfter oder gepflasterter Boden.

9,33 **Ohm:** Onkel, Bruder der Mutter.

10,11 f. **Muttergottes von Werl:** verehrtes Marienbild in
dem Wallfahrtsort Werl.

10,20 **schwarzen Bändern:** Teil der Begräbnistracht.

10,30 **Schelme:** Schimpfwort für betrügerische Menschen.

11,3 **Schoppen:** Scheune.

11,23 f. **unprivilegierter Holzhauer:** Holzdieb.

12,9 **fatalen:** widerwärtigen.

12,25 **gewichst:** gewieft, schlau, pfiffig.

13,20 f. **Bürsten:** Borsten.

13,28 **blöde:** schwach, zaghaft.

15,34 **Wegwasser:** Abflusswasser am Weg.

16,8 **verpönte:** verbotene.

17,2 **Rocken:** Holzstock.

20,22f. **Hechelkrämer:** Hausierer.

22,26 **wie die Wanderraupe:** Raupe des Eichenprozessions-
spinners, die bei massenhaftem Auftreten ganze Laubwäl-
der vernichten kann.

22,29 **Topholz:** wertloses Holz der Baumwipfel.

23,10 **notorisch:** offensichtlich.

23,31 **ungeschlachten:** plump, grobschlächtig.

23,34 **Aufschlag:** junger Holzaufwuchs.

25,6 **Racker:** Schlingel, unartiges Kind.

25,8 **Canaille:** Schurke, Schuft.

26,16 **unwirsch:** gereizt, barsch, mürrisch.

31,29 **Ranken:** fadenförmig verlängerte Teile von Pflanzen
(Sprossen, Blätter, Wurzeln).

33,14f. **Corpus delicti:** Beweismaterial.

33,21 **Mariä Himmelfahrt:** 15. August.

34,15 **Feuertopf:** topfähnlicher Ofen zum Füße-Wärmen.

35,8 **Usurpierten:** des widerrechtlich Beanspruchten, in Be-
sitz Genommenen.

36,10 **der blaue Montag:** Tag, an dem nicht oder nur wenig
gearbeitet wurde.

36,24 **Pfandställen:** Ställe für gepfändetes Vieh.

36,30 **ad libitum:** nach Belieben.

37,10f. **Papen van Istrup:** damals in Westfalen beliebter
Tanz.

37,21 **Kredenztisch:** Buffet, Anrichte.

37,26 **Bückling:** Verbeugung, Ehrerweisung.

38,2 **Wischhader:** Scheuertuch.

38,25 **Brautmenuet:** westfälischer Hochzeitsbrauch, ur-
sprünglich ein höfischer Tanz.

39,6 weiße Stirnbinde: westfälischer Hochzeitsbrauch, der den Standeswechsel symbolisieren soll.

39,11f. hohen Liedes: das Hohelied, ein Buch des Alten Testaments.

39,18 Dreifuß: Küchengerät.

39,34 Schwein: grobe Beleidigung, denn für die Juden galt das Schwein als unreines Tier.

43,10 Söller: Balkon.

44,13 Delinquenten: Verbrecher, Verurteilter.

44,24 perpendikulär: senkrecht.

46,10 Rabbiner: jüdischer Geistlicher.

46,28f. Le vrai n'est pas toujours vraisemblable: (frz.) Das Wahre ist nicht immer wahrscheinlich.

47,27 hektische: schwindsüchtige.

48,11 Irrlichter: Trugbilder.

52,11 Train: Tross, verantwortlich für den Nachschub.

52,17 Affaire: Gefecht.

52,31 Skorbut: Vitaminmangelkrankheit.

54,28 Aequinoctiums: Tagundnachtgleiche bei Frühlings- und Herbstbeginn.

58,3 Schindanger: Selbstmörder wurden nicht in geweihter Erde, sondern da begraben, wo der Schinder bzw. Abdecker dem toten Vieh die Haut abzog.

6. Interpretation

Wilhelm Gössmann betont in seinem Buch *Annette von Droste-Hülshoff. Ich und Spiegelbild*, das 1985 im Droste-Verlag Düsseldorf erschienen ist, es gebe viele Deutungen der *Judenbuche* und es seien auch tatsächlich viele Deutungen möglich; »welche Deutung vorgelegt wird, ist letztlich ein Gesinnungsproblem des Interpreten. Die erzählte Geschichte bleibt unter vielen Gesichtspunkten offen«.

Unterschiedliche Deutungsmöglichkeiten

Die wichtigsten Interpretationsansätze sollen nun im Folgenden vorgestellt werden.

Heimatgeschichtlicher Interpretationsansatz

Vordergründig verarbeitet Annette von Droste-Hülshoff einfach eine interessante Begebenheit, die sie selber aus Erzählungen kannte. Wie sie mit dem Stoff umgeht, zeigt sich an der Entstehungsgeschichte und an den Veränderungen, die sie an der Datierung vornimmt.

Zur Entstehung der *Judenbuche*

1783 Der Mord an dem Juden geschieht in der Nähe der Familiengüter, Drostes Großvater führt die gerichtlichen Untersuchungen.

1805 Erster Aufenthalt der Dichterin in Bökendorf.

1806 Selbstmord des Hermann Winkelhannes nach seiner

Rückkehr aus der Sklaverei (laut Kirchenbuch und Quelle: 1807).

1813 Erneuter Aufenthalt der Dichterin in Bökendorf, Großvater erzählt öfters die Geschichte.

1818 Drostes Onkel August von Haxthausen veröffentlicht die *Geschichte eines Algierer-Sklaven.*

1818–1820 Mehrere Aufenthalte in Bökendorf, die Dichterin liest den Bericht des Onkels.

1827 Im Streit um die Holzrechte setzt sich die Gemeinde vor Gericht gegen den Freiherrn von Haxthausen durch (sie dürfen Bäume schlagen, Ausnahme: Eichen).

1839 Eigene Nachforschungen der Droste.

1841 *Die Judenbuche* wird beendet. Aus Rücksicht auf noch lebende Angehörige der an den Vorkommnissen Beteiligten werden Ort, Zeit und Namen abgewandelt.

Tatsächlicher Zeitpunkt	Datierung in der Novelle
	(1736)
Heirat Margreths 1757 ↗	
	1738
Geburt Friedrichs 1764 ↗	
	(6.1.1747)
Tod des Vaters 3.12.1801 ↗	
Besuch Simons	(1750)
Förstermord	11.7.1756
	Oktober 1760
Judenmord 10.2.1783 ↗	
	24.12.1788
Heimkehr April 1806 ↗	

(23.9.1789)

Tod Friedrichs Sept. 1806   ↗

Auffinden der Leiche 18.9.1806   ↗   14 Tage später
(aber:
Sept. 1788)

Für den heimatgeschichtlichen Interpretationsansatz
spricht, dass die Droste selbst das Werk
als Heimatdichtung im Sinn des 19. Jahrhunderts sehen wollte. *Die Judenbuche*
sollte ein Teil des geplanten, aber nie voll-
endeten Westfalenromans *Bei uns zu Lan-
de auf dem Lande* werden. Auch die folgenden typischen
Kennzeichen von Heimatdichtung lassen sich in der Erzählung wiederfinden:

*Die Judenbuche –
Teil des geplanten
Westfalenromans*

- Aufwachsen in der Heimat,
- innere Bindung an die heimatliche Landschaft,
- schuldhafte oder freiwillige Abwendung von der Heimat
- Heimkehr.

Friedrich Mergel wächst in seinem Heimatdorf auf. Die
Novelle beschreibt seine Schwierigkeiten,
einen angemessenen Platz in der Dorfgemeinschaft zu finden. Zugleich lässt sie
keinen Zweifel daran, dass er fest in seiner heimatlichen Landschaft verwurzelt
ist, sein Wertesystem ganz eindeutig von
ihr geprägt. Das Dorf ist Friedrich Mergels Lebenshori-
zont, seine guten und seine schlechten Eigenschaften sind
nur vor dem Hintergrund dieser dörflichen Welt wirklich
zu verstehen. Wegen des Mordes an dem Juden Aaron
muss er seine Heimat verlassen, doch schließlich zieht es
ihn dorthin zurück.

*Friedrich Mergel –
in der Heimat
verwurzelter
Außenseiter*

Psychologische Interpretation

Das Dorf B. weist eine starke Gruppenidentität auf, die sich auch gegenüber der Obrigkeit behauptet. Dem Einzelnen bietet das Dorf soziale Geborgenheit, solange sich das Individuum in die Dorfgemeinschaft eingliedert. Dies setzt allerdings voraus, dass dieses Individuum die Gruppennormen erfüllt bzw. erfüllen kann.

Erfüllung von Gruppennormen als Bedingung für Gruppenzugehörigkeit

Erwünschte Normen wären Ansässigkeit, gute Verhältnisse, rassische und religiöse Zugehörigkeit und ein mit der öffentlichen Meinung konformes Verhalten. Wim Hülsmeyer, Friedrichs Rivale, erfüllt alle diese Normen und kann in diesem Sinne als Idealtypus bezeichnet werden.

Alle Außenseiter, die diesen Normen nur teilweise entsprechen, nehmen im Brederholz ein gewaltsames Ende. Die Juden, die durch Aaron repräsentiert werden, leben zwar in bescheidenem Wohlstand, haben aber eine andere Religion als die übrigen Dorfbewohner. Die Förster, vor allem repräsentiert durch Brandis, vertreten andere Normen als die Dorfgemeinschaft.

Wichtigster Außenseiter der Novelle ist Friedrich Mergel. Er teilt zwar mit dem Dorf die Vorurteile gegenüber den Juden und die Rechtsauffassung,

Friedrich Mergels Kampf um gesellschaftliche Anerkennung

lebt aber in ärmlichen Verhältnissen. Deshalb hat er eine Chance, anerkannter Teil der Dorfgemeinschaft zu werden, sobald sich seine sozialen Verhältnisse scheinbar ändern. Allerdings geschieht dies über den zwielichtigen Bruder seiner Mutter. Damit fehlt seinem sozialen Aufstieg die solide Grundlage.

Seine Repräsentationssucht und sein großspuriges Auftreten können als Überkompensation gedeutet werden. Er will die Außenseiterposition seiner Kindheit vergessen machen. Zugleich stellt ihm sein ständiger Begleiter Johannes Niemand die Gefahr des Identitätsverlusts vor Augen. Friedrichs neue Rolle ist also dauernd gefährdet.

Nach der Zerstörung seines Rufs auf der Dorfhochzeit sieht er sich dem Nichts gegenüber. Weil er sich ausgestoßen und verlacht fühlt, geht ihm seine ganze Selbstachtung verloren. Er ermordet den Juden Aaron, dem er letztlich die Schuld an der Zerstörung seiner sozialen Position gibt. Um der polizeilichen Verfolgung zu entgehen, muss er aus seiner Heimat flüchten. Doch nach schweren Jahren in der Fremde zieht es ihn in seine Heimat zurück, allerdings verbirgt er seine wahre Identität.

> *Gesellschaftliches Ansehen als Voraussetzung für Selbstachtung*

Der Selbstmord nach seiner Rückkehr geschieht wie unter einem inneren Zwang. Das Zerbrechen des Löffels kann als Symbol für den Ich-Verlust gedeutet werden. Friedrich Mergel definiert seine Persönlichkeit allein über das Ansehen in der Gesellschaft. Typisch für ihn ist damit auch das Ende auf dem Schindanger. Es ist Ausdruck der allgemeinen Ächtung, die sein Leben begleitet.

Theologische Interpretation

Friedrich Mergel verkörpert exemplarisch den Sündenweg des Menschen und die Folgen einer immer tieferen Verstrickung in das Böse. Die Droste will mit ihrem Werk auch das Zerstörungswerk der Aufklärung

> *Exemplarischer Sündenweg Friedrich Mergels*

aufzeigen. Die neutestamentliche Botschaft der Barmherzigkeit in den Eingangsversen, auf die es ihr vor allem ankommt, erreicht zu ihrem Bedauern den modernen Menschen oft nicht mehr.

Annette von Droste-Hülshoff sieht das Böse als Frucht der Sünde des Menschen. Durch die Erbsünde steckt im Menschen grundsätzlich die Anlage zum Bösen. Die Belastung Friedrich Mergels durch Vererbung und Milieu kann als Sinnbild für die Belastung des Menschen mit der Erbsünde verstanden werden.

Mit seinem unbändigen Ehrgeiz und seinem Hang zum Großtun verfällt Friedrich der Ursünde der »superbia«, dem Hochmut. Beide Morde sind als Folge von Friedrichs verletztem Stolz zu erklären.

Die »Adoption« durch den Ohm kann als Teufelspakt interpretiert werden. Nicht ohne Grund trägt der Onkel den Namen von Judas Vater. Das Auftreten der Blaukittel wäre dann ein Zeichen für das entfesselte Böse. Nach dem Mord am Förster Brandis will Friedrich zur Beichte gehen. Dadurch dass der Verführer Simon den Beichtgang verhindert, verbaut er Friedrich den Weg aus der Sünde. Friedrich bleibt im Machtbereich des Bösen.

Mord als Höhepunkt des entfesselten Bösen

Nach dem Judenmord ist an Friedrich keinerlei wirkliche Reue mehr festzustellen. Der Mord ist ein furchtbarer Verstoß gegen das Gebot Gottes und verlangt Sühne. Das Böse kehrt sich nun gegen ihn, aus dem Menschen mit dem hochfahrenden Wesen wird wieder eine armselige Figur.

Der furchtbare Sturm, der tobt, als Friedrichs Verbrechen aufgedeckt wird, kann als äußeres Zeichen dafür interpretiert werden, dass die göttliche Ordnung grob missachtet worden ist. Die Worte aus dem Evangelium werden durch einen grässlichen Donnerschlag unterbrochen, kurz bevor der schwere Verstoß gegen Gottes Gebot ans Licht kommt.

Das Racheverlangen und auch die Inschrift am Baum entsprechen dem alttestamentli- chen Verständnis von Gerechtigkeit. Die Bu- che wird damit zu einem Symbol der uner- bittlichen Sühne und Gerechtigkeit.

Buche als Symbol für Sühne und Gerechtigkeit

Friedrich kehrt zwar an Weihnachten zurück, aber die Gnade Gottes, die dadurch deutlich wird, dass Gottes Sohn in die Welt gekommen ist, kann ihn nicht mehr erreichen. Er kann in den Gesang nicht einstimmen, das Zerstörungswerk des Bösen ist nicht aufzuhalten.

Friedrichs Selbstmord ist dann die letzte Konsequenz sei- nes Bündnisses mit dem Bösen. Ihm ergeht es wie Judas, der ähnlich wie Kain von keiner irdischen Gerechtigkeit mehr erreicht werden kann. Die Narbe, die dem Guts- herrn als Erkennungszeichen dient und über deren Her- kunft nichts ausgesagt wird, kann als Kainsmal, als Zeichen ungesühnter Schuld verstanden werden.

Darum ist es nur folgerichtig, dass Friedrich auf dem Schindanger verscharrt und damit aus der christlichen Gemeinschaft ausgeschlossen wird. Da dies in Wirklichkeit nicht so war und Hermann Winkelhannes christlich be- graben wurde, muss diesem Hinweis beson- dere Bedeutung beigemessen werden.

Ausschluss des Sünders aus der Gemeinschaft

Das Verscharren auf dem Schindanger zeigt auch die Unfähigkeit des Dorfes, einen vom Schicksal Gezeichneten wirklich aufzunehmen. Dies kann als Kritik verstanden werden, obwohl die Gutsherrschaft mit dem erbärmlichen Heimkehrer Mitleid hat und sich fürsorglich um sein äuße- res Wohl kümmert.

Die Rolle der Natur

Die Autorin will verdeutlichen, dass die Schönheit sowie die Urwüchsigkeit der Gebirgs- und Waldlandschaft Westfalens die Menschen und ihr Schicksal prägt. Die Natur ist in auffälliger Weise in die Handlung einbezogen und steht in einer unmittelbaren Beziehung zu der Schuld und dem Unglück der Menschen in der Novelle. Die bedeutendste Rolle spielt dabei das Brederholz, und zwar fast immer in der Nacht. Die Entdeckung der Leiche ist die einzige Naturszene, die sich bei Tag abspielt, denn hier wird nun enthüllt, was bisher verborgen war.

Brederholz als Schicksalsort

Folgende Naturszenen wurden von der Autorin bewusst unheimlich gestaltet und sind mit Gewalt, Verführung, Lüge und Sühne verbunden:

Stürmische Gewitternacht	$\longrightarrow$	Tod Hermann Mergels
Zerstörte Waldlandschaft im Mondschein	$\longrightarrow$	Gespräch zwischen Simon und Friedrich
Waldlandschaft in der Morgendämmerung	$\longrightarrow$	Gespräch zwischen dem Förster und Friedrich
Furchtbarer Sturm	$\longrightarrow$	Mord an dem Juden Aaron
Judenbuche mit ihrer Inschrift	$\longrightarrow$	Selbstmord Friedrichs

Erzählweisen in der *Judenbuche*

Beschreibung

Die Form der Beschreibung findet sich am Anfang der Erzählung und jeweils nach den Erzählhöhepunkten. Etwa 10 Prozent des Textes lassen sich als Beschreibung bezeichnen. Typisch dafür ist die

- Darstellung von Milieu und Seelenvorgängen,
- zeitlose, analytische Erzählweise,
- Distanz zum Geschehen; man erfährt nie, was im Helden vorgeht.

Bericht

Etwa 15 Prozent der Erzählung lassen sich als Bericht klassifizieren. Der Bericht dient als

- zusammenfassende Darstellung zwischen Dialogpartien,
- Zeitraffung oder Weiterführung des Geschehens.

Szenisch-dialogische Darstellung

Der weitaus überwiegende Teil der Novelle muss der szenisch-dialogischen Darstellung zugeordnet werden. Gerade durch sie wird der Blick oft auf Nebensächlichkeiten gelenkt. Die entscheidenden Ereignisse, z.B. die Todesfälle oder die Demütigung Friedrichs bei der Hochzeit, werden nur indirekt geschildert und bleiben hinter der Szene verborgen. Die szenisch-dialogische Darstellung findet sich bei Gipfelpunkten der Erzählung und Konflikten. Der Leser fühlt sich mitten ins Geschehen hineinversetzt. Erzählzeit und erzählte Zeit stimmen fast überein.

> *Entscheidendes bleibt hinter der Szene verborgen*

Gattungszuordnung

Ein »**Sittengemälde**« war in der Zeit des Biedermeier eine beliebte Schilderung der Lebensformen eines Volkes oder einer Bevölkerungsgruppe und seiner landschaftlichen Umgebung. Für die Zuordnung zum Sittengemälde spricht die Tatsache, dass die atmosphärischen, landschaftlichen und gesellschaftlichen Einzelheiten erkennbar der vertrauten Umgebung des heimatlichen Westfalen entnommen sind. Für das Sittengemälde spricht auch, dass die *Judenbuche* ja als Teil eines größeren Werkes über Westfalen geplant war, die sozialen Verhältnisse auf dem Land dargestellt werden und die Autorin den negativen Einfluss der Aufklärung herausstellen möchte. Für ihren negativen Einfluss könnte Simon stehen, durch ihn wächst Friedrich aus der Dorfgemeinschaft und ihren Normen heraus. Das gezähmte Archaisch-Böse wird dadurch freigesetzt.

Darstellung westfälischer Lebensverhältnisse

Die **Milieustudie** will anhand der sozialen Umgebung die Persönlichkeitsentwicklung eines Menschen erklären. Für die Milieustudie kann angeführt werden, dass die Zustände und Verhaltensweisen der Dorfbevölkerung sowie Herkunft, Erziehung und die Bedingtheit von Friedrichs Charakter und Schicksal dargestellt werden. Er ist in jeder Beziehung ein Extrem des Landesüblichen (vgl. seine Rohheit, Leidenschaftlichkeit, sittliche Verwahrlosung und seinen falschen Ehrgeiz). Man könnte sagen, dass die Dichterin vor dem menschlichen Verhängnis warnen möchte, das in dieser Umgebung angelegt ist.

Erklärung der Persönlichkeitsentwicklung durch das Milieu

Die **Kriminal- und die Detektivgeschichte** befasst sich mit einem Verbrechen. Die Detektivgeschichte beginnt mit dem Verbrechen und stellt die Aufklärung des Verbrechens in den Mittelpunkt. Die Kriminalgeschichte untersucht vor allem die seelischen Vorgänge, die zu der Tat geführt haben. Die Droste hat ihre Erzählung selbst eine Kriminalgeschichte genannt. Allerdings trägt nur der erste Teil Züge einer solchen. Der zweite Teil ist eher der Detektivgeschichte zuzuordnen. Unzusammenhängende Tatsachen werden Stück um Stück mitgeteilt. Das entscheidende Motiv wird dabei bis zum Ende aufgespart. Allerdings gibt es in der *Judenbuche* keinen wirklichen Detektiv. Alle Figuren, die in irgendeiner Form als Detektiv auftreten, wirken ungeschickt oder fast hilflos und bringen kaum mehr als lückenhafte, vieldeutige oder gar unzuverlässige Tatsachen, Vermutungen und Gerüchte zusammen.

> *Aufklärung eines Verbrechens*

Unter **Novelle** versteht man eine Erzählung, die ein entscheidendes Ereignis im Leben eines Menschen beleuchtet. Die Novelle beschränkt sich auf das Wesentliche und führt ziemlich schnell zum Höhepunkt, d.h. zum entscheidenden, meist unerwarteten Ereignis, das das Leben des Helden grundlegend ändert. Typisch für die Novelle ist das Dingsymbol, das an entscheidenden Stellen der Geschichte immer wieder auftaucht. Hier ist natürlich die *Judenbuche* als dieses Dingsymbol anzusehen. Obwohl *Die Judenbuche* erst wirklich bekannt geworden ist, als sie von Paul Heyse in eine Novellensammlung aufgenommen wurde, entspricht sie nicht genau der Novellendefinition, schon allein deswegen, weil sie das ganze Leben Friedrich Mergels nachzeichnet.

> *Judenbuche als Dingsymbol*

Sprache

Die Sprache der *Judenbuche* ist eher unspektakulär, denn stilistische Mittel werden von der Dichterin nur recht unauffällig eingesetzt. Folgende Auffälligkeiten sind allerdings bemerkenswert:

- viele Aussagen, die die Möglichkeit offen lassen, ob das Gesagte wahr ist (»man«, »scheinen«, »wird gesagt«, »wie man sagt«, »wie man meinte«, »es hieß«, »es galt«);
- kaum Adjektive, deshalb sind die wenigen, die auf Friedrich angewendet werden, um so gewichtiger (fast alle aus dem Wortfeld »arm«);
- Wiederholungen von Adjektiven und Adverbien;
- Vergleiche und Symbole aus der Tierwelt: »wie eine Schlange« (8), »wie ein Hecht« (12, 37), »wie 'n Reh« (12), »wie die Wanderraupe« (22), »wie ein Jagdhund« (24), »wie ein Fuchs« (26) und »wie ein Hahn« (32);
- Gegenbildlichkeit, z. B. das Haar Friedrichs bei der Flucht und bei der Heimkehr (37, 49).

7. Autorin und Zeit

Kurzbiographie

1797 Geburt im Wasserschloss Hülshoff bei Münster in Westfalen als zweites von vier Kindern, von der Mutter und einigen Hauslehrern erzogen.

1804 Früheste erhaltene Verse.

1805 Erste Reise zu den Großeltern nach Bökendorf.

1810 Ein Auftritt in einer Theateraufführung im Hohenholter Damenstift zeigt ihr schauspielerisches Talent.

1813 Sommer in Bökendorf, erste Informationen für die *Judenbuche*.

1815 Schwere Erkrankung.

1818 Reise nach Kassel.

1819 Erneuter Aufenthalt in Bökendorf.

1822 Im Sauerland (–1824).

1825 Aufenthalt am Rhein.

1826 Umzug von Hülshoff ins Rüschhaus bei Münster.

1828 Aufenthalt am Rhein.

1829 Erneute Erkrankung.

1830 Aufenthalt in Bonn (–1831).

1834 Reise in die Niederlande.

1835 Reise in die Schweiz.

1836 Aufenthalt in Bonn (–1837).

1838 Beginn des Kontaktes und der Liebe zu Levin Schücking.

1841 Erster Aufenthalt am Bodensee.

1843 Kauft nach mehreren Aufenthalten ein Haus in Meersburg.

1846 Schwere Erkrankung. Umzug nach Meersburg.

1848 Tod in Meersburg.

Annette von Droste-Hülshoff
Gemälde von Johannes Sprick, 1838

Werktabelle

1813 *Berta oder die Alpen* (Drama).

1818 *Walter* (Versepos).

1821 *Ledwina* (Romanfragment).

1833 *Das Hospiz auf dem Großen St. Bernhard* (Epos).

1834 *Des Arztes Vermächtnis* (Versepos).

1837 *Die Schlacht im Loener Bruch* (Versepos).

1838 *Gedichte der Annette Elisabeth von D... H...* Dieser erste Gedichtband wird ein Misserfolg, nur 74 Exemplare werden verkauft.

1840 *Geistliches Jahr.*
Perdu oder Dichter, Verleger und Blaustrümpfe (Lustspiel).

1842 *Die Judenbuche.*
Bei uns zulande auf dem Lande (Fragment eines Westfalen-Romans).
Westfälische Schilderungen.
Spiritus familiaris (Verserzählung).

1844 Gesamtausgabe der Gedichte.

1845 *Westfälische Schilderungen.*

Einordnung der Autorin und des Werks in die Literaturgeschichte

Annette von Droste-Hülshoff schrieb in der Zeit des Biedermeier. Typisch für die Epoche des Biedermeier von ca. 1815 bis 1855 ist der Wunsch nach dem »stillen Glück im Winkel, abseits von der großen Welt«. Als Ideale gelten die idyllische Einsamkeit, der innere Frieden, die

Zeit des Biedermeier

Gemütsruhe sowie Bescheidenheit. Geographisches Zentrum des Biedermeier war Österreich, vor allem dank solcher Autoren wie Ferdinand Raimund (1790–1836), Franz Grillparzer (1791–1872), Johann Nestroy (1801–62) und Adalbert Stifter (1805–68). Außerhalb Österreichs wären Eduard Mörike, der für Schwaben steht, sowie Annette von Droste-Hülshoff, die fest in ihrer Heimat Westfalen verwurzelt ist, zu nennen. Gerade die Bezogenheit auf einen vertrauten heimatlichen Raum ist typisch für eine literarische Richtung, der es mehr um menschliche als um gesellschaftlich-politische Probleme geht. Das sittliche Gesetz hat im Biedermeier einen hohen Stellenwert, erscheint aber gefährdet. Das Individuum ist dabei sowohl durch die Umwelt als auch durch innere Leidenschaft bedroht.

❚ *Die Judenbuche* weist aber auch unverkennbar realistische Züge auf, denn der Charakter des Helden wird aufgrund seiner Anlagen, seiner familiären Prägung und der gesellschaftlichen Umstände, in denen er lebt, entwickelt. Zum »poetischen Realismus« kann man sie aber

Realistische Züge, aber auch symbolhafte Elemente

❚ noch nicht zählen. Das lässt sich vor allem durch eine Reihe von Rätselhaftigkeiten oder symbolhaften Konstruktionen begründen, die sich ein Autor des poetischen Realismus nicht zugestanden hätte. Als Beleg dafür kann man Folgendes anführen:

- Dass Friedrich auf die eilige Flucht den schwerfälligen Johannes mitnimmt, kann nur erklärt werden, wenn man Johannes als zweite Verkörperung Friedrichs ansieht.
- Es ist unklar, wie sich ein gebrechlicher alter Mann im Baum aufhängen kann, aber die Idee der Gerechtigkeit verlangt Sühne am Tatort. Die psychologische Erfahrung, dass der Täter zum Tatort zurückkehrt, wird ins Magi-

sche gesteigert. Die Inschrift im Baum zieht den Täter ohne sein Wissen zurück. Er umkreist den Baum erst im großen Bogen, bis dieser ihn immer enger an sich zieht.

- Der Selbstmord geschieht etwa zur gleichen Jahreszeit wie der Judenmord. Die Zeit des gewaltsamen Sterbens in der Natur deutet wohl Mergels Schicksal voraus.
- Die Narbe als Kainsmal kann nur im geistlichen Sinn als Zeichen ungebüßter Schuld verstanden werden.
- Der Aberglaube der Zeit und Gegend wird in die Novelle eingearbeitet. Der Vater stirbt am Dreikönigstag, der letzten Nacht der dunkelsten Tage des Jahres, die einmal als »rechte Zeit für Zauber und Geister aller Art« bezeichnet wurden. Außerdem taucht das Motiv des Wiedergängers auf, der als ruhelose Seele in feuriger Gestalt erscheint. Wer ohne Buße und Absolution einen »schlechten« oder vorzeitigen Tod stirbt, kann zum Wiedergänger werden.

8. Rezeption

Wichtig für die Autorin war vor allem, dass *Die Judenbuche* in ihrer westfälischen Heimat Anerkennung fand. Dies hatte zur Folge, dass auch ihre anderen Dichtungen von ihren Landsleuten wahrgenommen wurden. Sie freute sich, dass die Novelle ihre »sämtlichen Gegner« »zum Übertritt bewogen« habe. Sogar ihre Mutter fange an, »ganz stolz« auf sie »zu werden«.

Vom breiten Lesepublikum wurde *Die Judenbuche* von Anfang an mit Begeisterung aufgenommen. Die Resonanz bei der Literaturkritik war dagegen sehr schwach. Anscheinend hat es nur eine einzige zeitgenössische Rezension gegeben, und zwar in der »Revue«, einem Beiblatt der Dresdener *Abend-Zeitung* vom 15. Juni 1842. Das Urteil der Autorenkollegen und Kritiker war lange Zeit eher gemischt.

> *Anfangs kaum Resonanz der* Judenbuche *bei der Literaturkritik*

Adele Schopenhauer bezeichnete *Die Judenbuche* 1842 als »überaus schön«, »die Details sind wunderbar wahr und schön gegeben«, aber die Hauptmomente treten ihrer Ansicht nach nicht genügend hervor.

1859 bescheinigte Julian Schmidt der Dichterin ein Talent, das sie »unsern besten Erzählern an die Seite stellt«. Alle »Figuren reden, denken und handeln, wie sie in der Wirklichkeit reden«. Das »Entsetzliche und Humoristische, Grauen und Ironie« seien meisterlich ineinander verwoben. Allerdings wird bemängelt, dass viele Handlungsumstände und Zusammenhänge im Dunkeln bleiben. Außerdem wird eine »leitende Idee«, eine »Nothwendigkeit des Schicksals« vermisst, die das entsetzliche Grauen in einen Sinnzusammenhang stellt. Die Novelle sei weitgehend von einem prosaischen Realismus geprägt, dem die poetische Verklärung fehle.

Entsprechend dem Geschmack der Zeit deuteten Hermann Marggraff und Wolfgang Menzel etwa im gleichen Jahr die Novelle als Dorfgeschichte.

Der russische Autor Iwan Turgenjew äußerte 1869, dass die Novelle durch ihre »grelle Anschaulichkeit« »großen Eindruck« auf ihn gemacht habe. Am Ende werde man aber nicht recht klug aus der ganzen Geschichte.

Lob von Autorenkollegen

Ein Jahr später, 1870, erklärte Theodor Storm, dass er im Blick auf die *Judenbuche* auf die »Seite des kleinen bescheidenen Mannes« trete. Von allen dichtenden Frauen sei die Droste für ihn die »respektabelste poetische Kraft«.

Theodor Fontane will der *Judenbuche* in einem Brief von 1890 »nicht gerade den ersten Rang einräumen«. Er begründet dies vor allem damit, dass die Novelle eigentlich zwei Geschichten beinhalte, die des Onkels und die des Juden Aaron.

Paul Heyse, der das Werk in den *Deutschen Novellenschatz* (1871–76) aufnahm, bezeichnete es als »Kleinod« und lobte die Einfachheit des Lebensbildes, das trotz der »Frische und Farbigkeit der Charakteristik« entstanden sei.

Erst mit der Aufnahme in den *Novellenschatz* wurde *Die Judenbuche* zu einem großen Erfolg. Insgesamt kamen im Lauf der Jahrzehnte weit mehr als hundert Einzelveröffentlichungen auf den Markt. *Die Judenbuche* wurde in alle wichtigen europäischen Sprachen, aber auch ins Japanische übersetzt.

Aufnahme der Judenbuche in den Deutschen Novellenschatz

Seit Paul Heyse wird der *Judenbuche* fast nur noch uneingeschränktes Lob entgegengebracht. Der Autor Paul Ernst beispielsweise zählte sie zu den »hervorragendsten Erzeugnissen unserer nicht sehr reichen Novellenliteratur«.

Friedrich Gundolf betonte die Verwandtschaft der Novelle mit der Schicksalsdramatik. Das Geheimnisvolle, das den Menschen zum Opfer unkontrollierbarer Prozesse mache – dies ist für ihn die zentrale Aussage des Werks.

Die Schriftstellerin Ricarda Huch stellte 1932 fest, dass kaum ein Werk Annettes so deutlich Zeugnis von der »Meisterschaft ihrer Kunst« ablege.

> Höchstes Lob von unterschiedlichen Seiten

Die Handlung schreite fest und sicher fort, werde großartig gesteigert, bis sie sich in tragische Akkorde auflöse. An den überzeugend gestalteten Charakteren wäre vor allem bewundernswert, dass das Abstoßende und das Anziehende gemischt sei und sie trotzdem »tiefstes Mitgefühl« auslösten.

Emil Staiger betonte in seiner Doktorarbeit von 1933 vor allem das mythische Walten des Bösen. Die Novelle kenne weder Gnade noch Barmherzigkeit, es herrsche die alttestamentliche Härte.

Nach Meinung des Dichters Rudolf Alexander Schröder (1948) habe die Dichterin aus dem Stoff alles herausgeholt, was herauszuholen war. Sie habe »traumwandelnd den Gipfel einer Kunst« erreicht, das »klassische Muster einer Novelle geformt«. Die Geschichte sei zugleich ein anekdotischer Sonderfall und ein Gleichnis menschlichen Daseins. Jedes Wort sitze wie ein Hammerschlag, – keines zu wenig und keines zu viel.

Im gleichen Jahr äußerte sich der Schriftsteller Reinhold Schneider ebenfalls nur positiv und bezeichnete *Die Judenbuche* als einen »Wurf ohnegleichen« .

Benno von Wiese deutete die Novelle 1953/54 als sozial-
psychologische Studie, in der das Symbolische eine besondere Bedeutung habe.

Heinz Rölleke entwickelte 1968 einen theologischen
Deutungsansatz. Für ihn ist Simon der teuf-
lische Verführer. Friedrich, das Verführungs-
opfer, wird als ein Opfer der Sünde der »superbia« gesehen. Er wird schuldig, doch alle
seine Versuche, wieder in die Gemeinschaft

> Entwicklung
> spezieller
> Deutungsansätze

aufgenommen zu werden, scheitern. So wie Kain ist er ein
Umhergetriebener, der keine Ruhe mehr findet, sich selbst
umbringt und als Ausgestoßener auf dem Schindanger verscharrt wird.

Winfried Freund interpretierte die Novelle 1969 eher so-
zialpsychologisch und historisch. Für ihn steht der Konflikt
zwischen dem Ich und dem sozialen Umfeld im Mittelpunkt. Er wendet sich auch gegen ein rein alttestamentliches
Verständnis. Der Schluss der Novelle müsse im Zusammen-
hang mit den Anfangsversen gesehen werden, in denen ein
neutestamentliches Gnadenangebot formuliert sei.

Clifford Bernd befasste sich 1974 vor allem mit erzähl-
theoretischen Aspekten. Auch wenn er im Verhüllen und
Enthüllen das vorrangige Strukturprinzip sieht, verkörpert
die Novelle für ihn einen realistischen Erzählansatz.

Gerhard Oppermann stellte *Die Judenbuche* 1976 wegen
des Motivs der Narbe, deren Herkunft ja nicht erklärt wird,
in die Tradition von Homers *Odyssee*.

Ronald Schneider bemühte sich im gleichen Jahr um eine
Synthese dieser neueren Deutungsansätze. Spätere Interpretationen stellten vor allem die Problematik der sozialen
Integration eines gefährdeten Individuums in den Mittelpunkt.

9. Checkliste

1. Welche Bedeutung wird der Dichterin Annette von Droste-Hülshoff heute zugeschrieben?
2. Woran kann man feststellen, dass *Die Judenbuche* als das Hauptwerk der Droste angesehen wird?
3. Was ist typisch für das Dorf B. und seine Einwohner?
4. Welche Beziehung besteht zwischen dem Dorf B. und Friedrich Mergel?
5. In welchem häuslichen Milieu wächst Friedrich auf?
6. Wie kann man Friedrichs Vater charakterisieren?
7. Wie wird Friedrich durch die Mutter beeinflusst? Wie kann man sie charakterisieren?
8. Welche Rolle spielt Simon Semmler für die Entwicklung Friedrichs? Wie kann man Semmler charakterisieren?
9. Welche Bedeutung hat die Gestalt des Johannes Niemand in der Novelle?
10. Welche Rolle spielt Wilm Hülsmeyer in der Geschichte?
11. Inwiefern wird Friedrich Mergel an dem Förster Brandis und an dem Juden Aaron schuldig? Wie geht Friedrich mit seiner Schuld um?
12. Wie kann man Brandis' Verhalten gegenüber Friedrich beurteilen? Welche Rolle spielt Brandis in der Dorfgemeinschaft?
13. Warum bleibt Friedrich bis zu seinem Lebensende ein Außenseiter der Gesellschaft?
14. Warum begeht Friedrich einen Mord?
15. Welche Personen außer Friedrich kann man noch als Außenseiter bezeichnen?

16. Welche Rolle spielt der Gutsherr in der Geschichte?

17. Wie kann man belegen, dass der Heimkehrer Friedrich Mergel war?

18. Wie kann man sich Friedrichs Selbstmord erklären?

19. Welche Rolle spielen Vorurteile in dieser Novelle?

20. Wie kann man die psychologische Entwicklung Friedrich Mergels erklären?

21. Wie lässt sich der Werdegang Friedrichs theologisch interpretieren? Welche Rolle spielen dabei die Begriffe Rache, Gnade und Gerechtigkeit?

22. Welche sozialen, psychologischen, auf die Gerechtigkeit bezogenen religiösen Sinnhinweise gibt es im Text? Besteht die Möglichkeit einer einheitlichen Textdeutung?

23. Was ist für Struktur und Erzählweise der *Judenbuche* typisch?

24. Was für eine strukturelle und symbolische Funktion hat das Brederholz-Motiv in der Novelle?

25. Welche Rolle spielen die Naturschilderungen in der Novelle, und wie sind sie sprachlich gestaltet?

26. Wodurch lässt sich ein heimatgeschichtlicher Interpretationsansatz rechtfertigen?

27. Auf welche Weise geht die Droste mit den historischen Geschehnissen um, die ihrer Novelle zugrunde liegen?

28. Inwiefern trifft die Bezeichnung »Sittengemälde« aus dem Untertitel auf die Novelle zu?

29. Inwiefern kann man *Die Judenbuche* als Milieustudie bezeichnen?

30. Inwieweit kann man *Die Judenbuche* als Kriminal- oder Detektivgeschichte einordnen?

31. Welchen Sinn erhält die Novelle durch die Judenbuche und den Spruch?

32. Wie lässt sich die Erzählung literaturgeschichtlich einordnen?

33. Ist die *Judenbuche* ein Text des »poetischen Realismus«? Welche Belege lassen sich dafür und dagegen anführen?

34. Wie wurde *Die Judenbuche* in ihrer Zeit und im 19. Jahrhundert aufgenommen?

35. Welche Bedeutung hatte der von Paul Heyse herausgegebene *Deutsche Novellenschatz* für das Werk?

36. Wie wurde *Die Judenbuche* im 20. Jahrhundert eingeschätzt? Welche unterschiedlichen Interpretationsansätze wurden entwickelt?

37. *Die Judenbuche* wurde in alle wichtigen europäischen Sprachen und ins Japanische übersetzt. Suchen Sie nach Gründen für den großen Erfolg der Novelle.

10. Lektüretipps

Zur Droste und speziell zur *Judenbuche* gibt es eine Fülle von Forschungs- und Sekundärliteratur, die teilweise nur für Spezialisten und Wissenschaftler interessant ist. Eine Auswahl für Schüler kann nur einen kleinen Teil aus dem großen Angebot herausgreifen.

Zur *Judenbuche*

Textausgabe

Annette von Droste-Hülshoff: Die Judenbuche. Stuttgart: Reclam, 2001. (Durchges. Ausg. 2010.) – *Reformierte Rechtschreibung. Nach dieser Ausgabe wird zitiert.*

Die Judenbuche auf CD oder CD-ROM

Annette von Droste-Hülshoff: Die Judenbuche. Reclam-Klassiker auf CD-ROM. Stuttgart 1998. – *Wer als Schüler oder Student für ein Referat oder eine Hausarbeit auf den Text zurückgreifen muss, findet ihn auf dieser CD-ROM, zusammen mit Materialien, die man in eigene Texte einbinden kann. Zusätzlich bietet die CD-ROM die Möglichkeit, sich den gesamten Text oder einzelne Teile über die Computer-Lautsprecher vorlesen zu lassen.*

Wer Audio-CDs für den CD-Spieler im Auto oder zu Hause bevorzugt, hat zwei Alternativen:
Die Judenbuche, vorgetragen von Gert Westphal, auf zwei CDs oder zwei Kassetten, erschienen im Verlag Litraton, Hamburg.

Die Judenbuche, vorgetragen von Verena von Kerssenbrock, auf zwei CDs oder zwei Kassetten als Hörbuch, erschienen im Verlag Naxos, Münster. Die Musik stammt von Franz Berwald.

Zur vertieften Beschäftigung mit dem Werk

Huge, Walter: Erläuterungen und Dokumente: *Die Judenbuche*. Stuttgart 1979.

Rölleke, Heinz: Annette von Droste-Hülshoff: *Die Judenbuche*. Oldenbourg-Interpretationen. München 1997.

Woyte, Oswald: *Die Judenbuche*. Königs Erläuterungen und Materialien. Hollfeld [o. J.].

Zum historischen Hintergrund der Novelle

Krus, Horst-D.: Mordsache Soistmann Berend. Zum historischen Hintergrund der Novelle *Die Judenbuche* von Annette von Droste-Hülshoff. Münster 1990.

Zu Annette von Droste-Hülshoff

Zur Biographie

Beuys, Barbara: Blamieren mag ich mich nicht. Das Leben der Annette von Droste-Hülshoff. München 1999.

Gaier, Ulrich: Annette von Droste-Hülshoff und ihre literarische Welt am Bodensee. Sonderheft der Droste-Gedenkstätten 1993.

Gödden, Walter / Jochen Grywatsch: »Ich, Feder, Tinte und Papier«. Ein Blick in die Schreibwerkstatt der An-

nette von Droste-Hülshoff. Paderborn/München/Wien/
Zürich 1997. – *Das Buch gibt einen Einblick in den
Schreibprozess und enthält auch veranschaulichende Ab-
bildungen.*

Heselhaus, Clemens: Annette von Droste-Hülshoff. Werk
und Leben. Düsseldorf 1971.

Lavater-Sloman, Mary: Einsamkeit. Das Leben der Annette
von Droste-Hülshoff. Zürich / München 1976 / München
1981.

Schelschmidt, Gustav: Allein mit meinem Zauberwort.
Düsseldorf 1990.

Zur Bedeutung der Droste

Gödden, Walter / Sarah Kirsch (Hrsg.): Dichterschwestern.
Prosa zeitgenössischer Autorinnen über A. von Droste-
Hülshoff. Paderborn/München/Wien/Zürich 1993.

Zum Weiterlesen

Das *Doppelgängermotiv*, das die Droste in der *Judenbuche*
verwendet, war in der Romantik sehr beliebt. Beispiele, die
sich für einen Motivvergleich anbieten, sind:

E. T. A. Hoffmann: Das Abenteuer einer Silvesternacht
Joseph Freiherr von Eichendorff: Aus dem Leben eines Tau-
genichts
Ludwig Tieck: Der blonde Eckbert

Mit der Thematik von *Schuld, Verbrechen und Recht* hat
sich die Literatur immer wieder befasst. Für einen inhalt-
lichen Vergleich wären folgende Werke gut geeignet:

Friedrich von Schiller: Der Verbrecher aus verlorener Ehre
Heinrich von Kleist: Die Verlobung in St. Domingo
Theodor Fontane: Unterm Birnbaum
Carl Zuckmayer: Die Fastnachtsbeichte
Alfred Andersch: Fahrerflucht
Friedrich Dürrenmatt: Der Richter und sein Henker

RECLAMS LEKTÜRESCHLÜSSEL

- »» machen Schluss mit der mühsamen Suche nach Informationen zu literarischen Werken

- »» helfen bei der Vorbereitung von Unterrichtsstunden, Hausarbeiten, Referaten, Klausuren und Abitur

- »» informieren über Autor, Werk und dessen Rezeption

- »» enthalten Wort- und Sacherläuterungen

- »» bieten Interpretationen und Fragen zur Verständniskontrolle

- »» können auch als PDF heruntergeladen werden (**www.reclam.de** unter Download)

FÜR SCHÜLERINNEN UND SCHÜLER

stäblich am Schlafzittchen in den Krieg« (109) schleppen. Kassandra verachtet den Menschenschlächter Achill zutiefst, sie wünscht ihm »tausend Tode« (109).

Anchises, der politische Aussteiger, ist die zentrale Figur der »Gegenwelt«. Er bringt Kassandra die Natur näher, erklärt ihr politische Zusammenhänge, die Hintergründe des Krieges und preist die Lebensfreude. Zudem bringt er ihr bei, dass man sich auch mit seinen Gegnern und Andersdenkenden rational unterhalten kann, um einen Konsens zu finden. Seine Souveränität und sein Humor beeindrucken die Seherin. Nach dem Untergang Trojas schleppt ihn sein Sohn Aineias in einem Weidenkorb aus der brennenden Stadt und rettet ihm so das Leben.

Kassandras Berater

Kassandra verliebt sich in **Aineias.** Er möchte sie entjungfern, doch die Liebesakt scheitert, da »beide [sich] nicht imstande sahen, den Erwartungen zu entsprechen« (25). Sie wird schließlich von Panthoos, dem ersten Apollonpriester, entjungfert. Jedesmal, wenn sie mit ihm Geschlechtsverkehr hat, stellt sich Kassandra vor, sie würde mit Aineias schlafen.

Eine unerfüllte Liebe

Nachdem ihr geliebter Bruder Troilos von Achill ermordet wurde, bietet ihr Aineias Rückhalt, ihre Beziehung wird inniger, aber er entzieht sich Kassandra immer wieder, auch weil er als Krieger zu kämpfen hat. Nach der Niederlage Trojas fordert er Kassandra auf, mit ihm zu fliehen. Doch sie weigert sich, weil ihr klar geworden ist, dass er als »Anführer« der Trojaner ein Held sein wird, einen »Helden kann« sie aber »nicht lieben« (178 f.).

Aribe, die weise Traumdeuterin, heilt Kassandra, weil sie erkennt, dass eine schwere Identitätskrise ihre Wahnsinnsanfälle auslösen; sie fordert von der Kranken »Öffne dein inneres Auge« (82); schließlich erkennt Kassandra, dass sie Verantwortung nicht nur für sich, sondern auch für die Gemeinschaft übernehmen muss.

Auf dem Weg zur Autonomie

Auch der griechische Apollonpriester **Panthoos,** der in Troja in Distanz zur Gesellschaft lebt, hilft Kassandra. In der Auseinandersetzung mit ihrem zynischen Lehrer und alles anders als geliebten Sexualpartner, der sie defloriert, entwickelt sie ihr Selbstvertrauen weiter.

Personenkonstellation

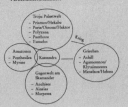

Alles,
was man für die Schule wissen muss

- »» in verständlicher Sprache

- »» knapp, in klar gegliederten Texteinheiten

- »» kompetent – verfasst von erfahrenen Schulpraktikern

- »» in lesefreundlichem Layout

FÜR SCHÜLERINNEN UND SCHÜLER